버리지 못하는 것은
나의 잘못이다

* 고등학생 시절, 교과서에 직접 그린 그림

심야사
https://brunch.co.kr/@simyasa

고졸 직장인.
사회성 없는 사회인.
재능 없는 글쟁이 지망생.
이상론은 좋아하지 않는 이상주의자.
열심히 글을 쓰고 열심히 세상을 사랑하려 애쓴다.
잘 되는 날은 얼마 없다.

조아라(曹我羅)

버리지 못하는 것은
나의 잘못이다

심야사(조아라) 지음

목차

먹힌 접시

너무 많이 삼킨
유리 접시

따가운 통증에 목구멍의 피 맛
아 너무 아프다

유리 조각이 너무 날카로워
그러게 왜 그걸 삼켰니

아니야 난 접시를 먹지 않았어

그저 숟가락과 젓가락을 들고
보이는 것을 찍어 삼켰어

이렇게 아플 줄은 몰랐지
접시가 내게 먹힐 줄은 몰랐지

시간의 산통

태양에도, 달에도,
아침과 밤의 산통이 있나. 아침에 출근길 버스를 타고
달린다.

버스 창문 너머로 보인다.
저 멀리 건물 사이 지평선으로 번지는
오늘 태어난 주홍빛 하늘.

태양을 낳는 아침의 산통이었다.
그렇게 소리 없이 태어난 태양은
하루를 살았다가 어느 순간 죽고,
어둠을 근원 삼아 오늘 태어난 달은
내일을 위해 세상에서 가장 고요한
탄생과 죽음을 겪는다.1분 1초마다 태어나고 죽는
시간에도

산통이 있나.

나비

노란빛 어린 날개를 팔랑이다가
향기에 이끌려 너의 어깨에 앉을 수 있을까
너와 같은 높이에서
같은 시선을 볼 수 있을까

내 이름을 불러주면
내가 돌아볼 수 있을까
꼬리 끝에 나비가 앉아도 모르겠지
나의 노란빛 눈동자는 너를 보고 있으니

그래도 괜찮을 거야
네가 고개를 돌리고 손을 흔들면
나는 다시 높이 올라가 세상을 달릴 테니

나비야 너는 그것을 아니

바람을 타고 날다 보면

세상 반대편에 갈 수 있다는 걸

나비야 우리 있잖아

반드시 세상 너머까지 가보자

우리 둘이서

아무것도

아무것도 가진 것 없이 태어나
아무것도 모른 채 살아오다가

남들이 다 가는 길 따라가지 못해
남들이 바라보는 걸 바라보지 못해
아무것도 없어서 아무것도 몰라서
아무것도 깨닫지 못한 채 어리석게
불행하게
처절하게
그렇게 아프게

모든 것은 나의 것
나의 삶은 나의 것
아무것도 몰라서 나만의 답을 찾고
아무것도 없어서 나만의 것을 찾고

그렇게 아무것도 없이 태어나
단 하나를 알고 떠나고 싶구나

칠판에 나를 적었고 우리가 비추었다

이름을 적어

얼굴도
웃음도
눈물도
환상도
메아리도

모든 걸 적어

칠판이 보이지 않을 때까지
그러면 어느 순간

닳아버린 분필심과
그 끝에 맺힌 세상
그곳에 우리가 있으니

물이 될 것이다

물이 될 것이다
어딘가를 향해 흐르고 흐르다
땅에 스며들어 사라지는 물이 될 것이다

물이 될 것이다
가다 보면 흩어져 사라지는 저 하얀 세상으로
사라진 후에 영원히 존재하는 물이 될 것이다

물이 될 것이다
여전히 어딘가로 흐르고
스며들고
바람을 타고
구름 너머 건물 옥상 난간 지나가는 회사원의 넥타이
저기 저 학생의 가방과 지우개 속으로
물이 되어 날아가고 하나가 될 것이다

나는 물이 될 것이다
밟으면 발자국을 남길 것이다
물이 될 테다
물이 되어야 한다

결국에는, 그렇게 하나가 되어야 하므로

설과 상

뺨에 차갑게 내려앉은 너를 위해
하늘에서 쏟아지는 눈물을 위해
새하얀 마음을 삼키는 나를 위해
세상을 덮어버리는 파도를 위해

나는 걷고
걸었고
걸을 것이고
언젠가는 거울 같은 세상에 가만히 멈춰 서겠지만

그때는 꽃잎이 될 너를 위해
한 번 털어 가루처럼 떨어질
새하얀 발자국을 남기고 갈
세상 속에 존재할 나를 위해

너와 함께
걷고 걸으며
이 세상은 그래도 하얀 마음이 내려앉을 수 있는
그런 세상으로 남아있으리라

그렇게 말하고 싶다

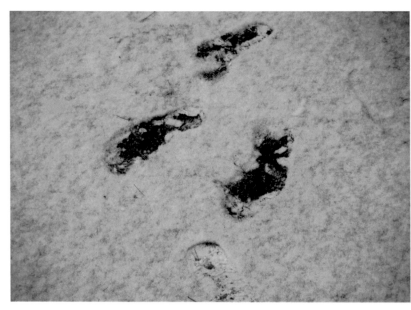

雪과 狀 / 雪過傷

여 보세요

여 보세요
토끼가 호랑이를 갉아먹습니다

여 보세요
콘크리트 벽에서 피가 솟구칩니다

여 보십시오
무고한 시민이 손가락질당하고 있습니다

여 좀 보세요
길바닥이 온통 화산재로 뒤덮였습니다

여 보세요
하늘이 시커멓게 잠식되고 있습니다

여보세요

누가 나를 좀 봐주실래요

들숨날숨

숨결에도 사랑이 있다는 걸 알았다
폐에 가득 들어찬 게 사랑이라는 사실을 알았다

온몸을 채우는 맥박에 얼굴이 보이고
다시 숨을 뱉으면 사라지는 목소리가
수없이 반복하다 보니 어느 순간부턴
사랑이 가득 차있는 것이다

이상하네
신기하지

그런데 이상하고
왠지 아픈 것 같아

내가 뱉어낸 네가 나의 세상이 되는구나
마시는 것들 뱉는 것을 하나하나에 전부
살아지는 일 초가 모두 널 위한 것만 같다는 것

숨결에도 사랑이 있다는 걸 알았다
나에게 가득 들어찬 너는 나의 사랑이었다

무몽(無夢)

발바닥의 살얼음처럼
온몸을 뚫고 찾아왔던
그날의 아침을 기억해

태양이 무너지고
별자리가 사라지고
냄새를 잃어버려
어디에도 갈 수 없던
그날의 사람을 기억해

눈을 감으면 암흑이고
눈을 뜨면 하얀 날이던
그날의 세상을 기억해

잿빛 하늘에 고개 숙여
겨울 낮볕에 서서히 익어
끝내 증발하지 못했던
어느 날 통증을 느꼈던
그날의 고독을 기억해

나는 모두 기억해
방황하던 나의 발걸음을

하지만 기도하지 않아
무몽의 방황도 어쩌면
내 아픔을 아는 방법이니

살아가는 삶을 살았습니다

아침마다 진동에 몸이 깨어나면
다시 편히 잠드는 소원을 빕니다

매일매일 일하며 살아가는 것은
살아가는 삶을 살기 때문입니다

힘들게 일하고 조금씩 벌면서도
난 살아있기에 행복을 찾습니다

죽는 삶이 아닌 사는 삶을 살았고
그것만으로도 후회는 없습니다

내가 태어난 것에는 아무런 의미도
무언가 특별한 이유도 없었지만

무의미함에서 시작되었던 한 생은
그래도 나름 잘 버텼음을 압니다

살아가는 삶을 살았습니다
다음 생에는 조금 더 편히 자기를

전부라고 말하고 싶지 않아

전부라고 말하고 싶지 않아
그건 너무 슬픈 단어이니까
내가 마음에 담을 수 있는
수많은 말 중에서도 그것은
가장 슬프고 아픈 말이니까

전부라고 말하고 싶지 않아
모든 것과 모든 꿈과 모든 순간
전부 쏟아버리는 순간에는
언젠가 식어버리는 심장에는
아무것도 남아있지 않을 테니까

전부라고 말하고 싶지 않아
하지만 나의 전부일 수밖에
그러니 나는 앞으로도 계속
차갑게 식는 그 순간까지 늘
슬프고 아플 수밖에 없겠지

종말의 숨

다다른 하루의 종말
흐릿한 태양의 말로
걸어가는 마지막 길

야청빛 숨결이 다가와도 놀라지 마
꺼지는 불씨를 애써 키울 필요 없어
오늘은 별들이 우리의 빛이 될 테니

오늘은 유난히 빛이 어여쁜 날이니
구태여 종말을 두려워할 필요 없어
주홍빛 하늘이 밝아와도 두려워 마

떠오르는 시작의 숨
선명한 태양의 진입
다다른 종말의 종말

주인 잃은 자리처럼

차가운 건물에서
이유 모를 모욕을 당하고 걷는 길
세상은 시끄럽고 사람은 고요하고
거리를 가득 채운 자동차 불빛은
침잠하게 가라앉은 눈빛과 같네

길거리 구석에서
그동안 개처럼 일했다 울부짖어
사람답게 살고 싶다는 사람들은
모두 같은 옷을 입고 자리에 앉아
노래를 부르고 천조각을 흔드네

그대여 당신이여
당신은 그대가 어디 있는지 아는가
어디로 갈 수 있는지를 알고 있는가
얼마나 더 위로, 아래로 갈 수 있는지
그대의 자리를 돌아본 적이 있는가

나는 나의 자리가 어디인지도
좀처럼 알지 못할 듯하다

세상이 나를 두고 주사위를 굴린다

힘들 때면
생각했다.

이 괴로움은
도대체 언제
사그라드는지.

이 고통은
도대체 언제
사라질지.

방향을 조금 바꾸어
다시 생각했다.

설마 내일이
오늘보다 힘들까?

현실은 언제나
상상을 뛰어넘는 법.
힘들 때면

생각한다.
세상은 지금 나를 두고
주사위 놀이를 한다고.

세상은 나를 가지고
이따금 장난을 치는 중
그러다 질리면 떠나고
나는 여전히 주사위처럼
데굴데굴 구르는 중

길바닥

태어나기를 느린 발로 태어나
자꾸만 내 발에 내가 치여 넘어졌고
걸리고 넘어지고 일어서지 못한 것을 말미암아
그저 제자리에 앉아 풍경을 바라보곤 했다
그것은 길바닥이 나에게 주었던 유일한 기회

지나가던 농부 아저씨가 다가와 혀를 끌끌 찬다
거 사람이 제대로 좀 걸어야지 그러믄 쓰나
달달 굴러가는 바퀴가 당장이라도 끊어질 듯 얇다
돌멩이 울퉁불퉁한 길에서 끌끌대며 떠난다
그의 수레는 언제까지고 달리고 있을까

조금 더 걸으면 갈림길이 나오고
그곳에서 넘어져 구멍가게 주인을 만났을 때
그는 내가 좋아하지 않는 팥맛 아이스크림을 건네며
이제 슬슬 제대로 걸을 때도 되지 않았는가
그렇게 말하고선 전등 밑으로 사라지는 것이다

글쎄 난 제대로 걷지 않은 적이 없었는데
이상하게도 발이 제멋대로 꼬이고 풀려버리는 것을

냇가에서 물수제비를 하던 아이는 내게 다가와
저는 좋아하는 아이가 넘어져 울 때 그 아이를 업고
새벽녘을 내리 걸어 마을까지 돌아왔단다

너는 길바닥에서 터질 듯한 숨을 품고 왔구나
잉태한 몸에서 빠져나왔을 때 비로소 가졌던 심장을
눈물 젖은 몸을 업고선 넘어지지 않으려 안간힘 쓰고
반듯한 걸음을 의젓하게 옮기며 코를 훌쩍거렸겠지
그리고 나는 다시 길바닥에 앉아 가만히 바라본다

해가 뜨고 지고 머리맡에 몇 움큼의 별이 뜨면
나는 또 어떻게 걷나 다시 넘어지지 않을까 불안해
그치만 걷지 않을 수 없어 나는 태어나길 느린 발을 붙잡고
다시 걷고 넘어지고 나와 같은 속도로 부는 바람을 따르고
어느 순간 고개 드니 모닥불 피어오르는 집이 보이더라

먼먼 땅에서

하늘이 파랗고 구름 아래 그림자가 드리워진 날
나는 방금 냉장고에서 태어나 신선하게 냉기를 머금은
물병 하나만을 두고 있다.

관광객에게 산악 바이크 안내를 하는 주인장은
저 말을 지금껏 몇 번 반복했을까 고민하고 산출하려다
자료가 없어 실패한다.

어제는 졸음에 절여진 몸을 간신히 이끌었고
쓰러지듯 잠들어 고통 속에서 해와 함께 태어나듯이
깨어나 아직 끝나지 않은 일에 아파한다.

퀴리가 말하길 인생엔 두려워할 일이 없다고 한다.
그저 이해해야 하는 대상일 뿐이고, 이해할 수 있는 일과
이해할 수 없는 일을 구분하려다 실패했다.

마음 심은 곳에서 멀어져 발바닥 붙은 땅은
이상하게도 내가 사는 세상과는 아주 먼 땅인데도 여전히
내가 살아가는 세상이라는 것이다.

사람은 그런 삶을 삽니다.

세상에 태어나는 모든 사람은
자신이 살아있다는 증명으로
처음이자 마지막으로 가장 크게
가장 처절하게 운다 했습니다.

다만 태어나자마자 울지도 않고
울 수도 없는 아이들도 있답디다.

그네들은 처절하기 전에 아프고
자신이 아프다는 사실을 모르고
그렇게 팔다리가 자라고 다시 아프고
계속 자신이 아프다는 사실을 모르다
어느 순간 자신이 태어나서부터
지금까지 울고 있었다는 것을 압니다.

그것은 그 아이들이 발자국 남긴 땅에
웃음소리를 남긴 모래와 풀숲 사이에
향기로운 꽃과 맨손으로 만졌던 눈밭에
바람과 하늘과 흩어지던 구름과
줄지어 가던 개미떼와 젖은 나뭇잎에 남아

그토록 사라지지 않고 주인을 따라오는 것입니다.
그리고 나는 곧 내가 척박하게
그리고 아프게 산다는 것을 아는데
그건 태어나자마자 터뜨렸던 울음이
차마 울 수 없는 나의 앞길을
이미 알고 있던 내가 나에게 준
처음이자 마지막 선물일지도 모른다 생각합니다.

그래서 사람은 그런 삶을 삽니다.
울지 않는 아이들을 보면 마음이 아픈 이유입니다.

저 아이는 이미 사람이 그렇게 산다는 것을
또한 자신이 많이 아프다는 것을 알거나 모르고도
그저 마음으로 울고 있다는 걸 알기 때문입니다.

그럼에도 저 아이는 계속 살아갈 것이며
언젠가는 웃으며 죽을 수도 있을 것이기에
나는 사람은 그런 삶을, 이런 삶을 산다는 것을
어렴풋하게 느끼거나 아예 모른 채로도
그저 이렇게 울거나 울지 않거나 합니다.

피가 굳어 뼈로 덮인 땅에서

참으로 이상하지 않니.
네가 말하면 나는 고개를 돌렸다.
우리는 생생한 피가 차갑게 굳고
뼛가루가 먼지처럼 뒤덮였던 땅을 밟고 살지.
하지만 아무도 그것을 떠올리지 않아.
나 역시도 그렇지. 매번 그걸 잊은 채 살아가.

속이 빈 것인지 피곤한 기색이 역력한 것인지
흐리게 충혈된 흰자위보다 갈색 홍채를 본다.
너의 이목구비에는 죄책감이 묻었다.
자유를 외치다 팔 하나를 잃고 시름시름 앓고
삶을 갈망하다 끝내 차가운 길바닥에서 떠났다는
외증조부의 짓눌린 살덩이를 기억이라도 하듯.

너는 달력에 선심 쓰듯 새겨진 빨간 숫자와
그 무게를 느끼지 못하는 자신을 부끄러워했다.
태어나 지금껏 무서우리만큼 고요하고,
그렇기에 치열하게 평화롭고 잔인한 곳에서,
지금껏 멀쩡히 숨을 쉬고 있음을 부끄러워했다.
나는 그 옆에서 말했다.

아니야. 이상하지 않아. 다들 그렇게 사는걸.
기억하지 않고, 느끼지 않고, 자각하지 않고.
그건 나쁜 일이 아니야. 나는 그렇게 말했다.
푸른 나뭇잎이 떨어진 길가에 멈추어 너를 보았다.

나의 발밑에서 언젠가 누군가의 몸이 얼었을까.
선혈이 낭자하고 눈물이 괴성을 지르는 곳에서
수많은 이들의 몸이 영혼을 잃어 시들어가던 땅.
문득 나는 그곳에 발을 디디고 눈을 깜빡인다.
너와 함께 생의 경이로움을 죄책감으로 껴안는다.

2021년 8월 15일

어디에선가 외로운 여우가 우나 봅니다

그날은 빗방울이 갑갑한 구름을 탈출하듯이
아니면 땅바닥에 제 얼굴을 박으러 오는 건지,
여하튼 비가 참 많이도 내렸습니다.

나는 당신의 뒷모습을 보았습니다.
온몸이 빗물에 폭 젖어 방황하는 걸음이었지요.
서둘러 달려가 당신의 옷소매를 잡았습니다.

왜 그리도 서글픈 눈을 하고 웃었던가요.
슬픔인지 권태인지 발버둥인지 모를 눈빛을 하고,
비가 많이 내린다고 말하던 목소리를 기억합니다.

또한 당신의 몸을 업고 걷는 동안 나 역시도
소리 없는 눈물과 눈물 없는 울음에 젖어들었고,
해가 밝은 날 다시 마주한 당신은 맑았습니다.

한껏 앓았더니 기력이 쇠했나. 그래서 투명해졌나.
당장이라도 증발하여 구름을 가르는 여우별 속으로
불쑥 사라질 것처럼 그렇게 굴기도 했습니다.
오늘도 어느 산속에서 외로운 여우가 우나 봅니다.

어디에선가 그렇게 아무도 모르는 눈물이 지납니다.
나는 오늘도 당신을 생각하고 있을 겁니다.

이면

파란 하늘에 밝은 태양이 들이치고
명랑한 빛이 어느 세상에 드리운다
마치 이 세상 어느 곳에도
캄캄한 그림자가 지지 않은 듯이

커다란 시청 건물 맞은편에는
시장의 당선을 축하하는 슬로건이
도의원의 진출을 기뻐하는 팻말이
바람에 나부끼며 소리를 지르는데

그 앞에는 땡볕 아래 원색 조끼를 입고
부실공사를 향한 불만을 토로하고
소음과 먼지와 괴로움을 토해내는
사람들의 시위가 묵묵하고 울렁거린다

네가 사는 우주

날씨가 선선하니 걷기가 좋구나.

걷다 보면 길가에 꽃잎이 하나둘 자리를 잡아.

다정한 노을빛이 좋다는 말을 듣고 있노라면

문득 궁금해진다.

네가 사는 우주는 어떤 모양일까.

날이 좋을 때 어떤 색깔이 될까.

마음이 아플 때 얼마큼의 눈물을 삼킬까.

너의 달과 목성과 해왕성은 어디에 있을까.

하늘을 올려다보면 별 한 점 보이지 않아

대신 내가 너의 북극성이 되고픈 것이다.

여든아홉 번째 나로호를 타고 와주면 좋겠다.
그러면 나는 너에게 푸른 지구를 보여주고

일억 광년 너머에서 날아갈 유성을 준비할 테니.

하늘 아래 선연하게 웃는 너의 모습이 참 예뻐서

나는 어두컴컴한 우주에 밝은 불빛을 하나 달았다.

사랑이 착각을 부를까 두려웠다

가끔 사랑을 하다 보면
두려웠다.

나는 원래 이기적이고 못된
그런 마음을 가지고 태어난
그렇게 자란 사람인데

사랑을 하게 되면
내가 나를 이타적이고 선한 사람이다
마음의 온도를 착각하게 될까
그래서 두려웠다.

나의 본성을 잃고 헤매이다
끝내 마음마저 쥐고 싶어 할까 봐
욕심이 감정을 무너뜨리면 어쩌나
사랑이 사람을 망치면 어쩌나

그래서 나는 그저 사랑만 하기로
혼자서만 품고 있기로 했다.
가타부타 무엇 하나 따지지 않고

그저 지금 이 순간 사랑하는 것이
마음을 지키고 사랑을 하는 것이다

그리 여기기로 했다.

세상은 어디에서

오후 햇볕 아래 살아지는 숨은 어디에서 왔는가.

나는 한없이 세속적인 인간이고
지극한 현실을 눈 감고 살아가면서도

어느 날에는 그런 장황한 고민에 잡힌다.

가령 나의 근원은 어디에 존재하는가.
저 사람, 저 구름, 저 강아지, 저 나무, 저 풀꽃,
저 생명의 근본은 어디에 있을까. 그런 생각.

조금도 쓸모없는 고민이 내게는 중요했다.
그러나 그것을 알게 된 날은 없다.

심장인가 뇌인가.
아니면 감정이라는 무언가인가.
아니면 애초에 시작이나 끝 따위는
존재하지 않는가.
생명은 그저 살아있기에 살아간다.
생의 가치나 의미를 따진 적은 없다.

애초에 그런 건 기준조차 전무해서
겨우 하나의 생명체인 내가 정의하기엔
그것들은 너무 거대하고
애당초 있었던 적도 없으므로.

가을바람 속에서 착륙하는 낙엽은
어디에서 왔고 또 어디로 사라지나.
그리고 다시 어디에서 어떻게 올까.

내 발치에 고요히 잠든 모래알마저
언젠가는 태어났고 또한 사라질 테다.

취하는 사람

술은 무척 좋아하지 않습니다.
이유는 여러 개가 있지만
단연 가장 큰 이유는 맛입니다.
쓰레기를 우려낸 물 같습니다.
술의 텁텁하고 쓰디쓴 맛이 달아질 때
그때가 어른이라면
나는 평생 어른이 되지 못할 것 같습니다.

다만 술에 취하는 건 좋아합니다.
잊을 수 있기 때문입니다.
나라는 사람의 나약한 본성 밑바닥을
가장 잘 느낄 수 있는 흐릿한 의식이
다른 것도 아닌 고작 술 한 병에
병도 아닌 잔 몇 개에 드러나는 것이
창피하고도 당연하구나 싶습니다.

미련 없이

나 아직 해맑간 나무였던 시절

할아버님께서는 시를 읽어 주시곤 했네

책머리 발치에서 다리를 휘적거리다가

돋보기안경 쓴 할아버님께 여쭈었네

할아버지
할아버지는 왜 때문에
무엇하여 이렇게 시를 읽으십니까

그러자 할아버님께서는 말씀하셨네

가지지 못할 것을 품은 사람도 있단다
이루지 못할 꿈을 안고 사는 이에게는
모든 세상이 속죄처럼 느껴지지

할아버님은 당신께 읊조리시던 것이었네

미련이 웅덩이진 마음은 차갑고 아릿하고
닿지 못할 것을 원하던 시절이 있었음에도

그는 이제 미련을 버리기로 하였네

그래야 진정 사랑할 수 있는 존재가 있었네

불현듯

살아가는 것이 부끄러운 날이 있었다

그날은 처음으로 저금통에서 지폐를 도둑질했던 날이나
누군가를 속이는 거짓말을 처음 의도적으로 내뱉은 날이나
문득 죽고 싶다던 친구의 목소리를 애써 모른 척한 날이나
내가 나 자신을 사랑하지 못한다는 걸 깨달았던 날이나
풀린 신발끈을 묶지 않고 집까지 걸어갔던 날이나
모르는 사람의 머나먼 호의에 마음이 달구어졌던 날이나
뜨겁게 데운 물통을 품에 안고 겨울잠에 들었던 날이나
아침마다 사는 게 싫다고 속으로 투정 부렸던 날이었다.

나의 생명은 어머니 아버지로부터 받았고
나의 삶은 세상을 점지한 신이 만들어 준 것이라는데

어머니 아버지께 생명을 전가할 힘이 없고
전지전능하여 모든 생명체를 사랑할 능력이 있는 신은
정작 삶 어디에도 존재하지 않아
그리하여 믿을 수 없는 것이 되어 사라지고 말았다.

아스팔트 바닥에 남는 발자국은 물에 젖은 밑창뿐이다.

나는 흔적도 남지 않은 자취에 안도해야 하는 것인가
맨발을 물에 적셔 딱딱한 바닥을 걸어야 하는 것인가

그런 생각이 들었다

나에게는 그런 것이

나에게는 그런 것이 마음일 겁니다

겨울 바닷가를 여름 하늘처럼 열정적으로 찍다가
모래사장에 주저앉아 카메라를 만지작거리는 누군가에게
따뜻한 캔커피를 들고 후다닥 달려갈 때 말입니다

그때 외투 주머니에는 하나의 핫팩만이 있을 텐데
그렇다면 나는 핫팩이 든 주머니 쪽에 넣은 캔커피를
그 누군가에게 건네주는 것이 마음이겠지요

가끔은 방금 따뜻한 물에 헹군 컵을 꺼내어 쓰기도 할
텐데
물을 마실 때 아랫입술에는 온기 남은 컵의 표면이 닿고
윗입술에는 시원하고 축축한 물이 닿아 갈증을 해소할 때

문득 사계절과 미지근한 냉온이 공존하는 마음에 대해
골똘하고 아렴풋하게 생각하기도 할 것입니다

마음이란 심장에도 없고 뇌에도 없고 혈관에도 없고
그저 보이지 않는 어떠한 호르몬의 영향일 뿐이라고

하지만
그럼에도 나는 종종 감지하거나 느낍니다

이런 것이 나에게는 마음일 것이라고
그렇지 않더라도 마음은 결국 그곳으로 데려다줄 거라고

태초에는

거실 창가에 앉아 차갑고 선명하게 식은 하늘을 보며
책을 읽다가 문득 창밖에 펼쳐진 황량한 산을 봅니다

푸른 이불을 잃어 메마른 뼈를 드러낸 것들이 줄지어 선
이따금 먹이 잃은 고라니가 어슬렁거리기도 하는
갈빛 낙엽을 발자국 삼아 걸어야 할 것 같은 산입니다

태초에는 저 산의 땅이 지평선 너머까지 펼쳐졌겠지요
물이 가득한 행성이 별안간 대지를 가지게 되면서
그렇게 만들어진 산에 울타리 따위는 없었을 것입니다

어느 날 갑자기 산은 축축한 땅덩어리와 고운 흙을 잃고
나무가 베이고 수많은 뿌리가 뽑혀 나가며 아팠을까요
마치 살갗이 뜯기고 혈관이 잘려 나간 사람처럼 말이에요

잃어버린 숨결 대신 찾아온 것은 콘크리트였을 것이고
부러진 뼈를 지탱한 것은 수많은 철근이었을 겁니다
도로가 깔리고 높은 아파트가 지어지기 시작했을 즈음

태초의 산은 어떤 생각을 했을지 나는 알지 못합니다

숲에서 부는 바람은

숲에서 부는 바람은 유독 차다.

왜일까 생각해 보았다.

나무 사이로 부는 바람이 피부에 닿기 전에 식어서인가.

그러고 보면 뜨거운 나무는 본 적이 없다.

모든 나뭇잎에는 온기가 없고 나무줄기를 뒤덮은
나무껍질은 차갑고 햇볕을 가득 쬔 흙도 만지면 살이
시원하고

숲은 언제나 따뜻하고 그래서 시원하고 바람이 차갑고

어쩌면 나무가 바람의 온기를 모두 먹어 치운 걸지도.

나무는 춥고 추워서 숲은 커다랗고 따뜻하고 차가워서
그래서 바람이 불면 따뜻한 숨은 자기가 먹고 그러면서도
따뜻해지지 않고 사계절 내내 시원한 바람이 부는 걸지도.
괜찮다 숲은 시원해서 좋으니까

시원해서 따뜻하고 그래서 다정한 것들이 있다.

만춘

하필 이 시대 이런 세상에서 이렇게 태어나
우리는 서로를 먹어치우고 눈물로 염을 한다

치아가 빠진 자리 텅 빈 잇몸에서는
피가 넘쳐흐르고 나는 그것을 꿀꺽꿀꺽 삼키다
비릿한 핏물과 흐르는 타액에 질식해 사라진다

하필 이 시대 이런 세상에서 이렇게 태어나
우리는 서로를 박제하고 기억으로 기록한다

눈알이 사라지고 내려앉은 눈두덩이
한껏 고인 피고름이 터지고 닦아지지는 않고
방치되어 곰팡이 핀 흉터는 그대로 남아있다

하필 이 시대 이런 세상에서 이렇게 태어나
우리는 아무것도 모른 채 모든 걸 알게 된다

무엇이 빠지고 사라지고 그렇게 남고
빈자리는 아무도 대체하지 못하고 전부 채우고
본래가 무엇이었는지마저 태워버리고 말았다

허공에서도

나는 어느 날 놀라운 사실을 발견했다.
그것은 바로 허공에서도 죽을 수 있다는 사실이었다.
어쩌면 그리 놀라운 사실이 아닐지도 모른다.
누군가는 이미 알고 있었을지도 모른다.
내가 이 사실을 깨닫기 훨씬 전부터.
내가 처음으로 학교를 졸업하기 훨씬 전부터.
내가 처음으로 소설책을 펼치기 훨씬 전부터.
내가 처음으로 연필을 깎기 훨씬 전부터.
내가 처음으로 일기를 쓴 날보다 훨씬 전부터.
내가 처음으로 엄마를 부른 날보다 훨씬 전부터.
내가 이 세상에 태어나기 훨씬 전부터.

아무튼 누군가가 언제부터 이 사실을 알고 있었든 그건
중요하지 않았다.

나에게 중요한 건 허공에서도 충분히 죽을 수 있다는
것이었다.
그날은 장마철이거나 태풍이 찾아오거나 비가 많이 내릴
것이다.
하지만 내가 죽는 건 비가 내리기 전일 것이다.

사랑해 마지않지만 정작 태어난 이래 한 번도 동공을
마주하지 못한 새벽녘을 볼 것이다.
짙푸른 세상은 한껏 물기를 머금은 숨으로 나를 반길
것이다.
바다에 통째로 잠기듯 서서히 침잠하는 곳에서 나는
호흡할 것이다.
알던 길을 걷고 몰랐던 길을 걷고 알아야 했던 길을 걷고
몰라야 했던 길을 걸을 것이다.
걷다 보면 길은 끝에 다다를 것이고 나는 허공에 발을
내디딜 것이다.
신발 밑창이 흙바닥을 밟기 전에 공중으로 높게 떠오를
것이다.

허공에서도 죽을 수 있었다.
텅 빈 공중에 덩그러니 놓인 밧줄이 나를 붙잡을 수 있었다.
나는 숨 하나 막히지 않고 서서히 죽어갈 수 있었다.
매달린 곳도 매달은 것도 없는 밧줄은 외로움에 줄줄 눈물
흘릴 것이다.
그러면 그제야 비로소 세상에도 빗방울이 쏟아지고 슬픔이
빗발칠 것이다.

그렇다면 나는 허공에서 죽은 사람이 될 수 있을 것이다.

그리고 나를 죽인 밧줄은 내내 외로울 것이다.

나는 어느 날 이것을 알았고 그건 아주 놀라운 일이었다.

하지만 나는 고독에 젖은 밧줄만을 두고 떠날 수 없다.

허공에서는 나의 죽은 육체를 거두어 불에 태우지 못한다.

젖은 몸과 마음에는 불이 붙지 않을 것이고 나는 종이처럼

녹고 녹아 흩어진다.

공중으로 떠올라 숨이 끊어진 나는 밧줄을 보고 울었다.

세상과 함께 울다가 잿빛으로 물든 땅에 누워 엉엉 울고

만다.

허공에서도 죽을 수 있다.

공허한 밧줄 하나 남긴 채 떠날 수 있다.

그러나 나는 그렇게 하지 못했다.

그러지 않았다.

그럴 수 없었다.

왜였을까.

이어지지 않는 시

이따금 시를 읽다 보면
분명 같은 제목을 품고 태어났지만
문장 하나 연 하나마다
다른 존재가 된 것 같은 그들이 있다

사이좋게 날아가는 하얀 나비
한 쌍의 두 마리 나비는 날아가다가
어느 순간 헤어져 다른 꽃을 향해서
산듯한 날갯짓과 함께 헤어진다

햇빛 아래에서 책을 들면
종이에 그림자가 생겨 정돈되지 않은
나의 머리카락 나의 지저분한 잔머리
그것들이 내 앞의 하얀 종이에 비춘다

아이들의 웃음소리 시끄러운 소리
즐거운 비명 유쾌하고도 더러운 농담
아이들은 언제까지나 아이일 것 같은데
아이는 커서 어른이 되고 소리를 잃는다

굴러가는 자전거 바퀴는 돌아가고
어지러워 세상이 끊임없이 돌기 시작해서
까맣고 파랗고 빨간 그것들은 돌고 돌아
순환하고 들리지 않는 음악을 듣겠지

사랑하는 자네

사랑하는 것이 생기면 붙잡고 싶어진다
두 손을 뻗어 품에 가득 안고 놓아주지 않는다
하지만 막상 사랑하는 존재가 앞에 나타나면
그것을 놓칠까 봐
사랑이 떠나고 상실의 바다에 풍덩 빠질까 봐
허우적거리다가 가라앉을까 무서워 얼른 피한다

사랑은 이루어지지 않고 꿈은 저 멀리 떠나고
덩그러니 남겨진 채로 흩어지는 구름만 바라본다
사랑이 비단 평생 동반의 약속이던가
우리는 보이지 않는 곳에서도 서로를 사랑하고
이름도 얼굴도 모르는 이와 영혼으로 사랑하고
사람이 아닌 것 살아 있지 않은 것도 짝사랑하니

결국 내 손을 떠날 거라면 나를 사랑하지 말아라
끝내 품에서 벗어나 사라질 거라면 내게 오지 말아라
그런데도 자꾸만 사랑하고 그리워하고 연모한다
정인 잃은 외톨이처럼 홀로서기하며 거리를 걷는다
사랑했던 존재를 하나 둘 떠올리고는 그저 웃는다
그래 또 이렇게 아무도 모르는 사랑 하나를 더 한다

사람은 사랑해야 산다고 했다
사랑하는 건 싫지만 사랑을 하나 더한다

중력

서 있는 것보다는 앉아 있는 게 편하다

앉아 있는 것보다는 누워 있는 게 편하다

중력이 끌어당기는 몸의 면적이 넓어질수록

몸은 나른해지고 정신은 끔뻑끔뻑해진다

서 있으면 다리가 아프고
앉아 있으면 허리가 아프고
누워 있으면 머리가 아파서

사실은 선 것도 앉은 것도 누운 것도
사실은 마냥 편하지만도 않지만

지구를 지배하는 중력에서 태어난 나는

중력이 나의 몸을 부드럽게 짓누를수록
태아 시절의 편안함을 느끼고 마는 것이다

소멸

나는 어디에서 와서
어디로 가는가

나는 세포에서 와서
소멸로 걸어간다

어떻게 사라지는가
모래처럼 사라진다

두꺼운 내 몸뚱이는
바람에 흩날려 훨훨

으흠 으흠 으흐흠
휘이 휘이 휘이이

모래알처럼 사라지는
어리고 어린 나의 것들

휘파람 소리를 타고
파도에 휩쓸려 훨훨

아주 거대한 생명체의 배 속
그곳에서 온 나는

다시 저기로 저기로
어디로 가서 어떻게 오는가

부끄럽고 부끄럽게

삶에는 왜 이리도 부끄러움이 많은지.

나는 항상 타인의 시선 속에서 숨을 쉬고 살아가는 듯하네.
나는 나의 호흡 속에서는 도무지 살아 있을 수가 없는
듯하네.

나는 내가 아닌 남들의 눈동자 속에,
그들의 머릿속에,
그들의 입속에,
그들의 죽어가는 기억 속에서만 존재하는 듯하네.

나는 타인에게 부끄러운 순간을 참을 수 없었네.
비웃음과 동정, 멸시와 외계의 것을 바라보는 듯한
그 냉랭하고도 한없이 무심하고 무신경한 시선들.

그러나 또한 그래서 더욱이 부끄러웠네.

나는 나 자신에게 부끄러운 순간을 참을 수 없었네.

수치스러운 자괴감.

타인이 아닌 내가 바라보는 나의 모습이 너무나 창피하네.

나는 외지의 것이 아닌데.
나는 나를 세상 그 누구보다 멀리 한 채 살고 있었네.

내 몸이 한가운데에서 폭발하는 것 같아

내 몸이 폭발하는 것 같다.

내 심장은 작은 폭탄 같다. 나약한 정신이 몸을 폭발시키기 위해 언제나 가위를 들고 나를 기다린다. 가위가 빨간 선을 썩둑 자르면 내 심장도 펑펑 터지는 것이다. 나는 곱게 죽고 싶다. 그러니 폭발해서 죽을 수는 없다. 오장육부가 징그럽게 낭자하고 뼈와 살덩이가 뭉개진 채로 죽고 싶지 않다. 상상만 해도 끔찍해. 만약 내가 그렇게 죽는다면 나의 부모님은 어떻게 나를 떠나보낼까. 그러므로 내 심장은 터져서는 안 된다. 나의 흐리멍덩하고 메스꺼운 정신이 몸으로 흘러오지 않도록 막아야 한다. 그러나 그 또한 불가능하다. 나의 머리와 몸은 하나로 연결되어 있고 그렇기 때문에 언제나 가위는 내 몸의 빨간 선을 절단해 버릴 수 있다.

나는 길거리를 걷는 사람들을 보며 생각한다. 저 사람들은 몸이 한가운데에서 펑펑 폭발할 것 같은 기분을 알까. 갑자기 요동치는 위와 먹은 것 없이 금방이라도 뒤집힐 것 같은 속이 정신의 문제인지 몸의 문제인지 고민한 적이 있을까. 저들의 마음은 나처럼 빨간 선이 죽죽 그어지지 않았을까. 저 사람들의 몸에도 폭발을 준비하는 폭탄이 있을까. 그렇게 생각하다가 나는 나를 탓한다. 내 몸이 한가운데에서 폭발하는 것과 다른 사람들이 폭발하는 것은 아무 상관이 없다. 그러므로 내가 남을 보며 이런 생각을 하는 것은 분명히 잘못된 일.

나는 아무래도 전하고 싶었다.

내 몸이 한가운데에서 폭발하는 것 같아. 갑자기 펑, 터질 것 같아. 나의 육신은 산산조각이 나고 나의 보이지 않는 조그맣고 느긋한 영혼은 연기와 함께 훨훨 날아가 바람을 타고 영원히 흩어지겠지.

나는 세상 한가운데에서 폭발할 것 같다.

그러나 아무도 나의 거대한 폭발을 보지 못할 것이다. 내 혼과 넋과 기억이 뒤섞인 연기는 아무도 볼 수 없을 것이다. 그렇게 나는 서서히 사라질 것이다. 그리고 나는 아직도, 여전히, **폭발할 것 같다.**

푸른 심장의 인간

심장이 푸른 인간은 어째서인지 외롭다.
그들은 소외된다. 배척된다. 밀려난다. 자리를 잃는다.

심장이 붉은 인간은 심장이 푸른 인간을 바라보지 않는다.

심장이 붉은 인간은 심장이 푸른 인간을 소외시킨다.
배척한다. 밀어버린다. 자리를 빼앗는다. 심장이 붉은
인간들은 자신이 누리는 모든 것들이 심장이 푸른
인간에게는 허용되지 않는다는 사실을 모른다. 또는
알고도 모른 척한다. 심장이 붉은 인간은 심장이 푸르지
않으니까. 이유도 모른 채 소외되거나 배척되거나
밀려나거나 자리를 잃지 않으니까.

심장이 푸른 인간은 심장이 붉은 인간에게 묻는다.
나는 어째서 심장이 푸르다는 이유로 아파야 하는 거지?

심장이 붉은 인간이 심장이 푸른 인간에게 말한다.
그야 당연하지. 넌 심장이 푸른색이니까. 그건 잘못이
아니어도 죄가 되니까.

심장이 푸른 인간이 이렇게 태어나고 싶었던 건 아니다. 하지만 태어나 보니 심장이 푸른 인간이었고, 소외되고 배척되고 밀려나고 자리를 잃으면서도 심장이 붉은 인간은 되고 싶지 않았으므로, 계속 심장이 푸른색으로 뛰는 인간으로 살기로 했다.

심장이 푸른 인간은 생각했다.

나는 내 심장을 사랑하는가. 나는 심장이 푸르다는 이유로 심장이 붉은 인간들이 당연하게 거머쥐는 것들을 손에 넣지 못하는데. 설령 붙잡았다고 해도 불안에 떨며 주위를 살피고 내가 심장이 푸른 인간으로 태어난 현실을 원망해야 하는데. 그럼에도 나는 내 심장을 사랑하나. 사랑할 수 있나.

심장이 푸른 인간은 어째서인지 외로웠다.
푸른 심장은 붉어지지 않는다. 심장이 붉은 인간이 된다고 해도 심장이 푸른 인간은 붉어진 심장을 사랑하지 못할 것이다. 그리고 심장은 완전히 붉어지지도 않을 것이다. 심장은 푸른색과 붉은색이 뒤섞여 보라색이 되고, 심장이 푸른 인간은 푸른색도 붉은색도 아닌 심장을 가지고 푸른 눈물을 흘릴 것이다. 그 눈물은 심장이 붉은 인간보다

뜨거울 것이다.

심장이 푸른 인간은 외로운 심장을 끌어안고 계속 살아가기로 한다.
심장이 붉은 인간들이 평생 알 수 없는 심장이 푸른 인간들의 마음이 있다. 심장이 붉은 인간들은 평생 심장이 푸른 인간들이 볼 수 있는 무언가를 볼 수 없다. 아름다운 달빛이 푸르게 빛나는 세상에서 심장이 푸른 인간은 자신의 푸른 심장도 사랑할 수 있다.

심장이 푸른 인간은 푸른색으로 빛나는 자신의 세계를 사랑하기로 한다.

그것이 푸른 심장의 인간이 남기는, 자신의 유일하고 위대한 심장이었다.

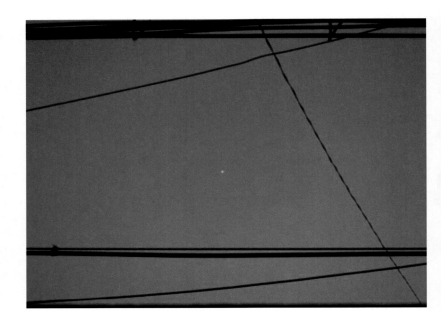

뱃속

아주 커다랗고 기괴하고 고요한 괴물의 뱃속이 있어요.

우리는 괴물의 내장이나 융털에서 태어난 겁니다.

나를 낳은 분들과 나보다 먼저 태어난 형제들도 이미 괴물의 체내에서 파생된 것이지요.

우리는 이미 정체 모를 괴물에게 먹혀, 그의 뱃속에서 살고 있습니다.

아주 멀쩡하게 살아가는 것 같지만 조심해야 합니다. 우리는 자각할 수 없을 만큼 느리게 소화되고 있는 거지요. 언제 갑자기 온몸이 흐물텅 녹아버릴지 모르는 일입니다. 괴물은 자주 허기에 괴로워해요. 하늘에서 갑자기 빛이 번쩍 솟아나며 요란한 소리가 들리곤 하는 게 바로 그 증거지요. 쿠러렁 쿠콰다당. 이 괴물은 도대체 얼마나 많은 것들을 얼마나 오랫동안 먹어치우는 건지 모르겠습니다.

뱃속이 아니라 배 속이 맞는 표현이라고요? 글쎄요. 비단

틀린 단어만은 아닐 겁니다.

우리는 이미 괴물에게 먹혔지만, 그런데도 우리는 서로를 먹거나 먹어치우거나 먹히며 삽니다. 우리는 그저 괴물의 체내에서 아주 느리게 소화되고 있는 음식에 불과한 데도요. 이미 배가 부른 자들은 배가 부풀어 오르다 못해 혀와 치아와 위와 소장을 모조리 토해내며 죽어가더군요. 이미 배가 고픈 자들은 그렇게 굶고, 굶고, 굶다가, 어느 순간 살가죽도 남기지 않은 채 사라집니다.

그 마르고 마른 뼛가루는 허공을 타고 날아갔고, 훗날 비와 함께 떨어졌어요. 그들의 눈물은 곧 하늘의 눈물이 되었습니다. 촤아아아 쑤아아. 배가 부른 자들에게 먹힌 배가 고픈 자들은 그렇게 울었습니다. 내가 직접 들었으니 압니다.

우리는 괴물에게 먹혔고 그와 동시에 괴물 안에서 태어났지요. 하지만 괴물과 난 다릅니다. 괴물의 몸에서 태어났다고 내가 괴물과 동질인 건 아닙니다. 나를 낳은 존재는 나와 열 달 동안 탯줄로 연결되어 있었던 어머니지만, 내가 생명체로 탄생하는 순간 나와 어머니가 철저히 별개의 존재가 되는 것처럼요. 나는 어머니의 몸에서 태어났으나 나는 어머니가 아닙니다. 그러니 괴물의 몸속에서 태어난 나도 괴물이 아닙니다.

파생과 존재는 엄연히 다른 말이지요. 그런데 나는 왜 그걸 구분하지 못하고 자란 거지?
눈을 감으면 괴물의 노랫소리가 들리기도 합니다. 괴물은 아주 커다랗고 기괴하고 고요한 존재예요. 그래서 끔찍하고 공포스럽지요. 괴물은 아주 거대한 몸집을 가진 주제에 아주 작고 작고 세밀하고 첨예한 목소리를 낼 수도 있습니다. 그래서 내 귓가에 노래를 부릅니다. 허공을 타고 사라진 이들의 눈물과 신음에서 나오던 노래. 눈과 귀를 팔아 위장을 그득하게 채운 이들의 다리 사이로 투두둑 투두둑 떨어지는 지독한 것들의 노래.

오늘 나의 발자국 하나가 문득 사라져 있었습니다.

내 발등에 떨어진 강한 산성이 나의 발목 하나를 녹여버린 탓인가 보군요. 이렇게 괴물의 뱃속이 추악합니다.

그리고 나는 오늘도, 괴물의 뱃속에 잘도 서 있습니다. 세상에서 가장 크고 복잡하고 요란스러울 줄 알았던 나의 존재 따위는 허공에 부유하는 먼지 부스러기가 되어

버리는 바로 이 뱃속. 육중한 몸을 이끌고 무언가를 먹어치우러 엉금엉금 걸어가는 괴물의 냄새나는 위장 어딘가에서요.

쿠구구콰광쾅. 하늘이 또 칭얼댑니다. 이 끔찍한 괴물은 배가 부를 줄 모르는 존재입니다.

흰 눈송이가 내리던 날

어느 겨울날 하얀 눈이 내렸다.
나는 얼른 부츠를 신고 나갔다.

뽀드득뽀드득 밟히는 하얀 눈길에
나의 둥근 발자국을 남기기 위해.

두꺼운 외투를 여미고
주머니에 손을 끼워 넣은 채

문득 하얀 눈송이가 머리카락 사이로
사르르 내려앉는 것을 보고 싶으면

보고 싶은 사람에게
대뜸 연락을 하는 것이었다.

혹시 시간 있으면
잠깐 나와서 만나지 않겠는가.

나는 사극과 사투리를 오가는
기이한 말투를 장난처럼 썼다.

그 사람은 나의 장난 같은 말투를 꽤 좋아했고
우리는 진지한 장난에 제법 진지했기 때문에.

하얀 눈송이가 뒤덮인 길가에
나란히 발자국을 송송 남기며

우리는 까만 머리에 하얀 가루를 뿌리며
나란히 초콜릿 컵케이크가 되었다.

온 세상이 순수한 백지가 되어
우리의 한 시절을 뽀얗게 물들였던 날

눈은 모두 녹아버렸고
보고 싶은 사람은 눈바람 속으로 사라져 버렸지만

흰 눈송이가 내리던 날만은
언제까지고 나의 눈 속에 남아있을 테다.

위대하여라 위대하거라

우리는 위대하지 않아
무언가 다르다고 생각한다면 그건 섣부른 자기애
인간은 때로는 지나치게 자기 자신을 추앙하곤 한다
남들보다 특별하다고 착각할 뿐

무언가를 읽거나 생각하거나 쓰기에 착각할 뿐
적어도 멍청한 사람이 되는 것보단 나아
하지만 읽고 생각하고 쓴다고 똑똑해지지 않는 것은 인간
나는 한 명의 현명하지 못한 인간일 뿐

생각하기에 존재한다고 말하지
나는 니체가 아니고 우리는 그렇게 될 수도 없고
다만 그 시절 니체도 그저 니체였을 뿐
인간은 모두 똑같던가 혹은 똑같이 멍청하던가

우리는 가로등 조명 아래에서 시를 읊어
가끔 소설도 쓰지 세계를 창조하는 건 어려운 일
만들다 버리고 떠나버린 신의 마음도 이해해
인간이 신의 파생작이라면 신도 우리와 닮았겠지

하나의 글을 써 모두가 박수를 치고 눈물 흘려
나는 잘 모르겠다 달빛을 차 대신 음미하는 인간의 마음은
차라리 불안장애와 우울증이 내겐 더 가깝겠어
다만 그조차도 멍하니 관조할 뿐

위대한 개츠비 노인과 바다 동물농장 죄와 벌
사실 고전문학은 잘 모르기에 부끄럽다
외국 작가도 한국 작가도 문학의 감성은 특이한 끝맛
적어도 한국에서는 유명해질 수 없겠지

너와 나는 위대하지 않은 인간
똑같이 생각하고 살아가다가 이내 잠겨버리는
나 스스로가 만들어낸 뒤틀린 세계와 견고한 틈새에 끼어
흐물흐물 녹아 사라져 버리는

나약한 마음 어수선하게 뒤섞인 마음은
사실은 인정받고 싶은 욕심이었다
오늘은 유독 머리가 맑다며 가로등을 우러러 물을 마시고
역시 밝은 태양 아래에서 마시는 차가 감미롭다며 웃겠지

우리의 웃음은 화창하고 맑을 것이다
그저 그런 비유나 지나치게 과장된 말을 늘어놓으면서

사실은 나도 설명할 수 없는 나의 글과 상념들
흔해 빠진 표현법은 마음에 들지 않아 벅벅 지워버려

뛰어난 천재가 되고 싶었다
훌륭한 업적을 남긴 위인이 되고도 싶었지
나는 그저 부끄럽지 않은 자식이 되기도 힘든 이 처지
위대하지 않은 우리는 오늘도 착각하며 살아가겠지

생각할 수 없는 시가 싫어

나는 생각할 수 없는 시가 싫어

친구가 말했고 나는 깜짝 놀랐다

사실은 뜨끔한 것이다. 정곡이 찔려 구멍이 난 것이다

왜 싫은데?

떨리는 손을 반대쪽 손으로 붙잡아 숨기며 물었다

나는 상상할 수 있는 시가 좋아
아무런 장면도 떠오르지 않는 시는 싫어
갑자기 혼잣말을 했다가 허공이 말을 걸고
답장을 호흡으로 받고 파란 열매를 따 먹고
눈앞의 연인이 눈이 커다란 뱀으로 변하고
부모님은 괴물이 되고 하늘이 울렁울렁 토를 하고
해부하지 않으면 속뜻도 알 수 없는 문장들
그런 것들이 자기들만의 축제를 벌이고 있어
나도 분명 초대를 받았는데 아무것도 즐길 수가 없지
그래서 싫어

사실 친구의 말 하나에 나는 구멍 하나를 만들었다

그래 그럼 앞으로 진솔한 시를 쓸게

그러자 친구가 놀라서 묻는다

지금까지 진심으로 시를 쓰지 않았어?

글쎄 나도 내가 그동안 뭘 썼는지 잘 모르겠지만

사실 나의 마음속에는 아무런 장면이 없고

그러니까 나는 보이지 않는 어느 가장자리의 보이지 않는
풍경과 아름답지도 않은 어느 감명을 쓸게

친구가 여전히 이해할 수 없다는 표정으로 웃었다

역시 나는 생각할 수 없는 시가 싫어

전나무

너는 어디까지 볼 수 있니

추운 겨울날 나뭇잎이 없는 너는 아주 크고 깡마른
사람처럼 보였지

앙상한 나뭇가지는 흐리고 탁한 갈색으로 흔들리고

너의 정수리는 언제나 하늘에 걸쳐 달처럼 일렁일렁

어린 시절에는 너를 타고 올라가 달을 따 먹고 싶다고
생각했었지

그때도 지금도 여전히 너는 같은 얼굴로 우뚝 서서 바람만
솨아아

비가 내리면 가느다란 잎에서 물이 톡톡 떨어지던 때

크고 깡마른 너의 맨 아래에서 나는 눈물 없이 조용히
울고 있었지

유서

나는 언제 죽을지 몰라 유서를 쓰기로 했다

특별할 것 없는 삶
부모님은 아닌 척 슬픔이 많으신 분들이시고
자식이 유서를 쓴다고 하면 분명 슬퍼하실 것이라 조용히
편지지에 유서를 썼다. 아무런 말도 없다 유서라기보단
인생의 마지막 일기처럼

자서전은 과작이다 회고록은 하얀 눈발만 휘날린다
연두색 종이가 앙증맞게 웃으며 나에게 하는 말
마지막으로 하고 싶은 말이 있는가? 어째서인지 웃음이
나온다 연필을 쥔 나는 사형수도 아닌데 그냥 마지막 가는
길 한 번 둘러나 봅시다

눈에 띄지도 무엇 하나 잘해내지도 못한 삶
가려지는 것조차 생각보다 힘든 일 빛도 그림자도 되지
못한 나는 잿빛 구름 사이로 서서히 사라지는 희미하게
뭉개진 무언가였다

차라리 날아가는 새의 굳건한 날개가 부러웠던 유서의
마지막 인사

아 쓰다 보니 연필 심이 그새 닳았다

나의 마음도 딱 이만큼만 닳았으면 좋겠다고 생각한다

표류하는 사람

파도를 멍하니 바라본다

바다는 새카맣다 발을 뒤덮는 물결은 새파랗고 차갑다

언젠가 저 속으로 빨려들어가 죽겠지
파도는 나를 집어 삼키고 나는 심해로 가라앉기도 전에
사라지고
어지러운 머리 도통 초점을 잡을 수 없어 바다조차
조그맣다

어차피 죽으니 별이라도 한 번 봐야겠어

고개를 들었더니 아는 별자리 하나가 보인다 음 저건 무슨
자리더라
이쪽으로 가면 북쪽 맞아 저건 가장 밝은 별이었으니까

여기로 가면 언젠가 섬이 나올까
오랫동안 버려두었던 노를 쥐어잡고 뱃목을 젓기 시작한다
구조대는 오지 않고 영원히 표류할까 아니면 한 번만

살려볼까 낮이 오면 움직이지 못하고 오직 밤에만 별을
이정표 삼아 가볼까

길을 찾으려면 별하늘을 발견해야 하는 거였나
고개만 들면 보이던 천장 언제부터 이렇게 새카맣게
타버렸는지

별은 될 수 없겠지만 물고기 밥도 되기 싫어
표류 중인 사람 영원히 표류하는 사람 혹은 장차 표류하게
될 사람

바닷속으로 침잠하던 마음 한 자락 간신히 건져내어
뗏목 구석에 가지런히 펴두고 별을 따라 팔을 휘젓기
시작한다

몸속에서 흘러나오는 것들

왼쪽이 낭떠러지인 산길에 몸이 덜덜 떨린다
오른쪽에 바짝 붙어 돌과 나뭇가지를 더듬어 간신히
앞으로 나아가
해 질 녘 온화한 노을빛에 저무는 태양을 본 적 있다
생과 사가 단 두 걸음 차이로 나누어지는 그곳에서 문득
죽음의 두려움도 잊어버리고 호흡에 저녁 여명이 가득
차오르는 순간

무수히 많은 나무가 바람이 주도하는 지휘에 맞춰
흔들리고
산 꼭대기에서 땅의 파도 소리를 들으면 뺨을 타고 눈물이
흐르고
날숨은 허연 입김 허공에서 사라지는 숨은 영혼의 형체
심장이 뛰는 소리는 거대한 태양이 바닷속으로 잠겨드는
소리
평화로운 세상 안온한 장면 앞에서 불현듯 서럽게 우는
사람이 되어버린다

떨어지는 눈물에 비치는 태양 반사되는 노을빛

광활한 땅 위에서 자연 앞에서 아무것도 아닌 미약한
미생물 하나
생각보다 버리고 온 것들이 너무 많음을 비로소 깨닫는다
눈물이 흘러나와 바람이 데려간 낙엽처럼 홀홀 어디론가
떠나고
나를 이루는 것들 나의 몸에서 터져나오는 생명의 증거들

그것들은 영원히 나의 몸속에서 흘러나와 이내 사라지고
말 테다

동생에게

하고 싶은 일을 찾는 건
생각보다 훨씬 중요해

하루에 열 시간 공부해도 돌아오는 건
하루에 열 시간 일하는 미래

부조리한 세상을 피하지는 못해
그렇다면 차라리 돌파구를 만들어

공부보다 중요한 건 사실 운동이지
건강한 몸에 건강한 정신이 깃든다는 걸 아직은 모를까

행복한 삶을 살기를 바란다
하지만 너무 행복이라는 말에 매달리지는 말고

태어난 이유는 오히려 없는 게 좋아
시시한 의미 사소한 사유를 하나씩 만들어가는 게 오히려
재미야

누구나 어둠에 잠겨 우울해지는 날이 있어
그림자가 드리웠다고 네가 품은 빛과 온기까지 잊지는
말았으면

친구는 신이 준 선물이야
하지만 너에게 상처 주는 친구는 곁에 두지 말기를

수치심은 괴롭고 쓰라린 감정이지
그래도 그건 네가 제대로 된 사람이라는 걸 증명하는 마음

훗날 너무 늦었다고 포기하지는 말았으면
어차피 내일 해도 내년에 해도 늦을 거 지금 당장이 가장
젊겠지

모든 삶을 기억할 필요도 없고
후회가 막심하더라도 아직 남아 있는 시간은 길다고

인생 선배라지만 아무것도 아는 게 없어
다만 나는 언제고 네 옆을 함께 걸어갈 마음이 있다는 걸
알아주길

문장을 낭비하는 시

오늘도 청명한 단어 하나가 구렁텅이에 빠졌다

선연하게 피어올랐던 어절은 힘을 잃고 시들시들 죽어가는
중이다

땅을 박차고 힘차게 길을 내달리지도
잔잔한 호수처럼 모든 걸 포용하지도 못하는 마음

그저 멍하니 하늘을 바라보다가 문득 떠오른 단상을
끄적거린다

만족스러웠던 적은 없다 언제나 단어는 버려지고 표현은
밋밋해지고

하나둘 낭비되는 문장이 많아질수록
마음에 만들어둔 옷장은 금세 창고가 되고 쓸데없는
잡동사니가 가득

버리지 못하는 것은 나의 잘못이다

나를 바라보지 않는 문장을 사랑하는 것도 나의 잘못이다

작가의 말

시를 쓰는 법도, 시를 읽는 법도 배운 적이 없다.

사실 학교 다닐 때는 문학 과목을 그다지 좋아하지 않았다. 문학을 배우기보다는 책 읽기나 글 쓰기를 좋아했다.

상업계 특성화 고등학교를 나와서 열아홉 살 겨울부터 직장생활을 시작했다. 회사는 항상 외롭고 힘거운 공간이다. 이렇게나 삭막한 세상과 무서운 사회 속에서 오늘도 꿋꿋하게 살아가는 모든 사람을 존경한다.

부족하고, 미흡하고, 어설프기 그지 없는 시집이다. 하지만 초라하더라도 진심이 담기지 않은 시는 한 편도 없다.

이 책에 실린 모든 사진은 직접 찍었다.

발 행 | 2024-03-11

저 자 | 심야사(조아라)

펴낸이 | 한건희

펴낸곳 | 주식회사 부크크

출판사등록 | 2014.07.15(제2014-16호)

주 소 | 서울 금천구 가산디지털1로 119, A동 305호

전 화 | 1670 - 8316

이메일 | info@bookk.co.kr

ISBN | 979-11-410-7574-3

본 책은 브런치 POD 출판물입니다.

https://brunch.co.kr